Un fabuleux défi

© Hachette Livre, 2013 pour la présente édition. Tous droits réservés.
Novélisation : Natacha Godeau.
Conception graphique : Valérie Gibert & Philippe Sedletzki.

Hachette Livre, 43 quai de Grenelle, 75015 Paris.

Un fabuleux défi

hachette
JEUNESSE

Pikachu

Ce Pokémon de type Électrik est extraordinaire ! Non seulement il est très malin, mais il est aussi extrêmement gentil, comme Sacha. D'ailleurs, il ne quitte jamais son Dresseur : on peut même dire que c'est son meilleur ami !

Sacha

Sacha vient de Bourg Palette, un petit village dans la région de Kanto. Il parcourt le monde pour accomplir son rêve : devenir un Maître Pokémon. Mais avant ça, il doit s'entraîner à devenir le meilleur Dresseur ! Et il est sur la bonne voie : c'est un garçon tellement gentil que tout le monde veut devenir son ami, même les Pokémon qu'il rencontre !

Rachid

Rachid est un expert en Pokémon : il connaît presque tout à leur sujet. Pourtant, il n'en attrape pas beaucoup ! En réalité, ce qui l'intéresse vraiment, c'est de rire avec ses amis. Et encore plus de leur faire des petits plats...

Iris

Iris n'a peur de rien, et certainement pas de dire ce qu'elle pense ! Dès qu'elle trouve quelque chose mignon, la jeune fille le veut... surtout si c'est un Pokémon !

Feuillajou

Tout comme son Dresseur Rachid, Feuillajou est gentil et toujours prêt à aider ceux qu'il apprécie. Ce Pokémon Singe Herbe de type Plante peut en guérir d'autres grâce aux feuilles qui poussent sur sa tête.

Coupenotte

Coupenotte est un Pokémon de type Dragon. Il suit Iris partout où elle va. C'est un Pokémon qui fait tout son possible pour aider les autres.

La Team Rocket

Jessie,
James et le Pokémon
parlant Miaouss forment un trio
diabolique. Ils passent leur temps
à essayer de voler des Pokémon !
Cette fois, c'est leur chef, Giovanni,
qui leur a donné la mission d'attraper
le plus de Pokémon possible à Unys
pour monter une armée…

Reshiram

Zekrom et
Reshiram sont
des Pokémon légendaires.
Uniques en leur genre, ils sont tellement
puissants qu'ils peuvent bouleverser
la météo ! Lorsque Reshiram libère
sa chaleur et que Zekrom produit
de l'électricité, il vaut mieux
s'éloigner !

Zekrom

Chapitre 1

Que le combat commence !

Toujours en quête de son deuxième badge de la Région d'Unys, Sacha arrive enfin à Maillard avec ses amis Rachid et Iris. Le jeune Dresseur est si impatient de mener son combat d'Arène qu'il rencontre sans tarder la Championne, Aloé. Elle travaille comme conservatrice du musée. Une fois les présentations faites, elle leur ouvre les portes d'une partie de la bibliothèque, d'ordinaire interdite au public.

— Alors, Sacha, est-ce que tu aimerais étudier un peu la région d'Unys ? Il y a dans ces livres tout ce qu'il faut connaître sur le sujet.

Le jeune Dresseur hésite.

— À vrai dire, Aloé, c'est pour un combat d'Arène que je suis venu…

— Raison de plus ! Le savoir est très important, si tu veux gagner ton deuxième Badge. N'est-ce pas, Rachid ?

Le Connaisseur Pokémon acquiesce. Plus on en sait sur son adversaire, mieux on l'affronte ! Aloé désigne un gros manuel, sur une étagère, et reprend :

— Je te conseille de consulter ce livre, Sacha.

— Ne te fais pas prier, se moque Iris. Il y a pire que lire quelques pages !

— Il s'agit peut-être d'un test… ajoute Rachid à voix basse.

— Un test ? Tu crois que c'est important pour mon combat ? Dans ce cas, d'accord, Aloé !

Sacha tend la main vers le livre en question. À peine le touche-t-il que l'étagère sur laquelle il repose pivote, dévoilant un escalier qui mène au

sous-sol… Perché sur l'épaule de son compagnon, Pikachu s'exclame, stupéfait :

— Pika-pika !

— Tu vois, Sacha ? lance Aloé. Tu as bien fait de m'écouter : ce passage mène à l'Arène !

— Oh ! L'Arène est cachée sous le musée ?!

Aloé sourit.

— La plupart du temps, les Dresseurs préfèrent lire un livre qui les intéresse, plutôt que celui que je leur propose. Mais toi, tu es prêt à tout pour mener un combat parfait. Tu es volontaire et déterminé. J'ai hâte de t'affronter !

— Hé bien, qu'est-ce qu'on attend ? Descendons dans l'Arène !

Le champ de bataille est d'une taille impressionnante.

Pourtant, cela n'intimide absolument pas Sacha !

— On y va ? dit-il.

— Rencontre d'abord les deux Pokémon que j'ai l'intention d'utiliser. Cela pourra te servir pour choisir les tiens, recommande Aloé.

Elle jette une Poké Ball en l'air : Miradar en sort. Ponchiot surgit d'une autre. Sacha consulte son Pokédex.

— Miradar, le Pokémon Vigilant. Son corps contient des composantes lumineuses qui permettent à ses yeux et à ses rayures de briller. Ponchiot,

le Pokémon Chiot. Les poils de son museau fonctionnent comme un radar qui analyse les alentours.

— Ce sont deux Pokémon de type Normal ? s'étonne le jeune Dresseur.

Aloé acquiesce :

— En effet. Ainsi, ils ne sont limités par aucun élément

particulier et peuvent répondre à toutes les stratégies de leurs adversaires.

— Cet affrontement promet d'être passionnant ! note Rachid.

Là-dessus, Gill, second conservateur du musée et arbitre de la rencontre, explique les règles de l'Arène de Maillard :

— Ce combat est un deux contre deux. Au cours de la bataille, les Dresseurs peuvent échanger à tout moment l'un de leur Pokémon contre l'autre.

Sacha approuve d'un hoche-ment de tête. Il confie Pikachu à Iris et à Rachid, puis il tire deux Poké Balls de sa poche…

— Que le combat commence !

Chapitre 2

Une surprise de taille

Aloé décide d'entamer le duel avec Ponchiot. Toutefois, le premier mouvement revient à Sacha, le visiteur.

— Gruikui, je te choisis !

Le Pokémon Cochon Feu bondit hors de sa Poké Ball.

Il a très envie de se battre. Au moins autant que Ponchiot ! Sacha ordonne :

— On y va, Gruikui. Commence par Flammèche !

Le Pokémon se précipite sur son adversaire. Mais avant que les étincelles ne jaillissent de son groin, Aloé riposte.

— À toi, Ponchiot ! Utilise Hurlement !

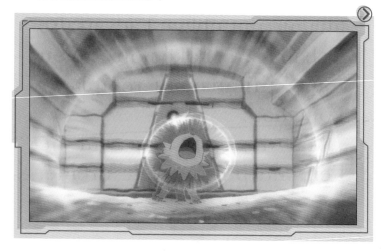

Le Pokémon Chiot se
met à pousser un cri si
puissant que Gruikui est
instantanément propulsé à
l'intérieur de sa Poké Ball…
tandis que Moustillon est subi-
tement éjecté de la sienne !
Sacha n'en revient pas !

— Que s'est-il passé ?

— Tu ne connais pas Hurlement ? ricane Aloé. C'est une
attaque qui oblige l'adversaire
à changer de Pokémon. À mon
tour ! Miradar, tu remplaces
Ponchiot !

Mais le jeune Dresseur ne
l'entend pas de cette oreille.

Il veut continuer avec Gruikui. Alors, il lance :

— Moustillon, retour !

— Miradar, Regard Noir ! réplique aussitôt Aloé.

Et voici que Moustillon reste figé sur place !

— Mon pauvre Sacha, tu ne connais pas non plus Regard Noir ! constate la Championne. Ce mouvement empêche un Pokémon de quitter le combat et de réintégrer sa Poké Ball !

Iris et Rachid assistent à la scène, sidérés.

Aloé vient de réaliser un combo fascinant !

— Tes plans sont bouleversés, Sacha, poursuit-elle. Pourtant, tu n'as pas le choix. Tu dois continuer avec Moustillon.

Le Pokémon Loutre paraît déstabilisé. Il ne pensait pas combattre si tôt !

— Moustillon, Pistolet à O !

Le Pokémon crache un vigoureux jet d'eau. Aloé esquive et riposte :

— Miradar, Balayage !

Ni une ni deux, le Pokémon Vigilant renverse le malheureux Moustillon d'un violent coup de queue. La rapidité d'action de Miradar est époustouflante.

Sacha et Moustillon n'ont plus qu'une hâte : prendre leur revanche !

— Miradar, maintenant, Tonnerre ! continue Aloé.

— Dévie le rayon avec ton coupillage, Moustillon !

Cette fois, le Pokémon Loutre évite l'attaque. Cependant, si Sacha parvient à surprendre Miradar avec Pistolet à O, Moustillon ne peut résister à l'enchaînement Balayage/Tonnerre qui suit. Il tombe à terre, sonné, et Miradar est déclaré vainqueur ! Le moment est venu d'intervertir les combattants. Aloé brandit ses Poké Balls…

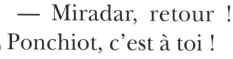

— Miradar, retour ! Ponchiot, c'est à toi !

— Parfait, approuve Sacha en l'imitant. Moustillon, retour ! Gruikui, c'est parti ! Utilise Charge !

Le Pokémon Cochon Feu fonce sur son adversaire, qui l'esquive sans mal. Jamais Iris, Sacha et Rachid n'ont vu un Pokémon réagir à une telle vitesse !

— Ball'Ombre, Ponchiot ! renchérit Aloé.

Gruikui reçoit la boule sombre en plein dans le flanc.

— Tiens bon ! l'encourage Sacha. Riposte avec Flammèche !

Hélas, Aloé contrecarre encore sa stratégie…

— Ponchiot, utilise Bélier !

Un bouclier protecteur apparaît autour du Pokémon Chiot, qui se rue sur Gruikui… et l'assomme.

— Gruikui n'est plus capable de se battre, le vainqueur est Ponchiot ! Aloé, la Championne de Maillard, remporte donc le combat d'Arène ! déclare Gill.

Sacha est effondré. Quelle triste surprise : il ne s'attendait pas à être battu à plate couture !

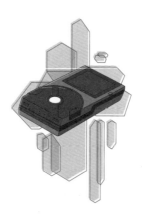

Chapitre 3

Chez Don George

Son combat terminé, Sacha se rend au Centre Pokémon le plus proche afin que Gruikui et Moustillon reprennent des forces. Pendant que l'Infirmière Joëlle et son assistant Nanméouïe, le Pokémon

Audition, s'occupent des Pokémon, Rachid et Iris tentent de remonter le moral de leur ami.

— Aloé a une technique très au point, Sacha. Cependant, tu peux encore la battre en match retour !

— Iris a raison. Mais avant, il faut que tu améliores les performances de Moustillon et de Gruikui. Ils doivent augmenter de niveau ! souligne Rachid.

Sacha approuve.

— Vous savez quoi ? Je vais suivre vos conseils. Demain, on file s'entraîner chez Don

George, au Club de Combat Pokémon !

Le lendemain, Gruikui et Moustillon étant en parfaite santé, Sacha et ses amis se présentent tôt au Club de Combat Pokémon de Maillard. Don George les accueille en souriant.

— Si c'est pour un entraînement spécial, vous frappez à la bonne porte !

— Merci, répond Sacha. Hier, j'ai affronté Aloé et…

— … et tu n'as pas su lui résister ! s'esclaffe l'homme.

Sacha acquiesce.

— Ses Pokémon sont d'une telle rapidité, ça m'a complètement dépassé !

— Mais rien n'est perdu, promet Don George. Avec moi, tes Pokémon deviendront aussi

rapides que les siens…
à condition que tu sois
prêt à travailler dur ! Suivez-
moi à la salle d'entraînement !

Iris, Rachid et Sacha lui
emboîtent le pas. De nom-
breux appareils occupent la
pièce. Don George désigne un
tapis de course ultraperfec-
tionné.

— Je suggère que tu
commences par Gruikui,
Sacha.

Le jeune Dresseur lance
sa Poké Ball. Le Pokémon
Cochon Feu en surgit aussitôt.

— Grui-kui !

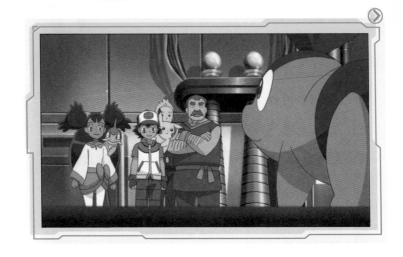

— Vas-y, mon vieux ! ordonne le garçon.

Mais Don George le pousse à son tour sur le tapis !

— Toi aussi, Sacha ! Pour riposter efficacement aux attaques d'Aloé, tu dois apprendre à te concentrer. Mieux tu seras préparé, plus tu auras confiance en toi.

— Compris !

Don George met le
tapis en marche. Sacha
et Gruikui courent en rythme.

— Attention, on passe à la
vitesse supérieure ! avertit
l'entraîneur.

Le Dresseur et son Pokémon
Cochon Feu tiennent la cadence.

— Échauffement terminé !
déclare enfin Don George.
Il est temps de passer aux choses
sérieuses ! Ces canons, dans le
mur, sont des simulateurs de
Ball'Ombre. Il va falloir esquiver,
anticiper et contrer celles-ci tout
en courant sur le tapis.

Il enclenche un bouton, sur le clavier de commande. Aussitôt, les canons projettent des Ball'Ombre ! Gruikui les évite, mais Sacha se laisse distraire un instant et en reçoit une en pleine figure ! Iris plaisante :

— Voyons, Sacha, même un bébé est plus attentif !

— Je peux réessayer, Don George ?

— Bien sûr, Sacha. L'important, c'est de persévérer !

Sacha et Gruikui parviennent finalement à un beau résultat avec le simulateur de Ball'Ombre. Mais le Pokémon Cochon Feu est épuisé !

— Laisse Gruikui se reposer avec tes amis, Sacha, et entamons l'entraînement de Moustillon, décide Don George. File aux vestiaires enfiler un maillot de bain !

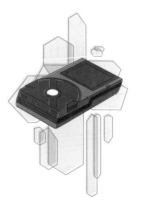

Chapitre 4

De retour à l'Arène !

Une fois en tenue, Sacha rejoint Don George, qui le conduit à la piscine du Club.

— Moustillon, à toi de jouer ! lance Sacha en brandissant sa Poké Ball.

Dès qu'il aperçoit le plan d'eau, le Pokémon Loutre plonge avec bonheur à l'intérieur ! Sacha l'imite, et Don George s'installe derrière l'ordinateur de contrôle.

— Je vais créer des remous dans le bassin. Nager à contre-courant vous permettra d'améliorer votre endurance.

Sacha et Moustillon ne ménagent pas leurs efforts. Don George et Pikachu les encouragent en les suivant le long du bord de la piscine. Mais voici que Coupenotte, le Pokémon Crocs d'Iris, en profite pour se glisser derrière l'ordinateur. Il appuie sur tous les boutons pour s'amuser, et programme par mégarde un courant trois fois plus fort ainsi qu'un impressionnant mur d'eau ! Sacha s'écrie :

— On doit tenir le coup, Moustillon ! Il faut s'habituer à faire face à l'imprévu !

Dans un élan prodigieux, le Pokémon Loutre remonte le mur d'eau, dont la puissance lui permet de se propulser comme une fusée à l'autre extrémité du bassin. Tout le monde l'acclame.

— Génial, Moustillon ! Tu viens d'apprendre à maîtriser Aqua-Jet ! le félicite Sacha. Tu possèdes une nouvelle attaque !

— Mous-tillon ! s'enorgueillit le Pokémon Loutre.

C'est ensuite au tour de Gruikui de reprendre l'entraînement. Sacha et lui y mettent toute leur énergie, et l'attaque

Flammèche du Cochon Feu est bientôt beaucoup plus puissante. Au point que le jeune Dresseur affirme :

— Bravo ! Maintenant, on a une vraie chance de battre Aloé !

Le lendemain, Sacha et ses amis se présentent à l'Arène, sous le musée. Aloé accueille son adversaire, l'air déterminé.

—Je t'attendais !

— On a travaillé très dur, au

Club de Combat Pokémon, prévient Sacha. Et cette fois, je vais décrocher mon Badge !

— J'admire ta belle assurance. Je te lance donc un défi plus grand !

À ces mots, Aloé jette deux Poké Balls en l'air. Miradar surgit de la première. Mais Sacha ne connaît pas l'autre combattant... Intrigué, il interroge son Pokédex :

— Ponchien, le Pokémon Chien Fidèle, est la forme évoluée de Ponchiot. Les épais poils sombres qui recouvrent

son corps amortissent les coups
à la façon d'une armure.

— Un Pokémon plus
robuste ? dit Sacha. Parfait, je
suis prêt !

Gill arrive pour arbitrer le
combat.

— Bienvenue au match
retour de l'Arène de Maillard !
s'exclame-t-il.

Aloé rappelle Miradar. Elle entamera la bataille avec Ponchien. De son côté, Sacha choisit Gruikui.

— La première attaque est pour notre visiteur, déclare Gill. Que le combat commence !

Sacha n'hésite pas un instant.

— Gruikui, utilise Flammèche !

Le Pokémon Cochon Feu se rue sur son adversaire.

— Ponchien, emploie Abri ! commande Aloé.

Un bouclier pare l'attaque de Gruikui, puis le Pokémon Chien Fidèle riposte avec Ball'Ombre.

— Esquive, Gruikui ! Et maintenant, encore Flammèche, suivi de Charge !

— Excellent, approuve Aloé. L'entraînement a rendu Gruikui beaucoup plus performant ! Ponchien, il est temps d'utiliser Hurlement !

Chapitre 5

Une victoire méritée

Hurlement renvoie Gruikui dans sa Poké Ball, et Moustillon prend sa place. Aloé décide de poursuivre la bataille en échangeant Ponchien contre Miradar. Elle lance Regard Noir !

— Coquilame, Moustillon !
innove Sacha.

Ni une ni deux, le Pokémon
Loutre fonce en brandissant
son coupillage. Miradar ne peut
l'éviter. Aloé fronce les sourcils.

— Moustillon aussi a fait de
nets progrès.

— Et vous n'avez pas tout
vu ! se vante Sacha. Aqua-Jet,
Moustillon !

Le Pokémon s'élance dans un tourbillon d'eau. Mais il dévie malencontreusement et heurte le mur !

— La partie n'est pas terminée ! enrage le Dresseur. Continue avec Pistolet à O, Moustillon !

— Miradar, Onde Folie, vas-y ! contre Aloé.

Le rayon qui atteint Moustillon le perturbe complètement. Sonné, il vacille sur ses pattes, incapable de réagir. Aloé ajoute :

— On enfonce le clou, Miradar ! Tonnerre, maintenant !

— Vite, Moustillon, détourne

l'éclair avec ton coupillage et envoie Pistolet à O ! crie Sacha.

Malheureusement, le jet d'eau rate encore sa cible. Mais Sacha ne baisse pas les bras si facilement.

— Moustillon, réessaie Aqua-Jet !

— Assez ri, rétorque Aloé. Miradar, Tonnerre !

L'éclair frappe le tourbillon d'eau… et propulse Moustillon contre le Pokémon Vigilant qui, sous le choc, s'effondre au sol avec son adversaire.

— Moustillon et Miradar sont tous deux dans l'impossibilité de

se battre ! déclare Gill. Première manche : ex æquo !

— Le hasard a joué en ta faveur, Sacha ! se réjouit Rachid.

— Tu n'as plus qu'à battre Ponchien et tu décrocheras ton Badge ! renchérit Iris.

Le Dresseur félicite Moustillon avant de le réintégrer dans sa Poké Ball. Il rappelle ensuite

Gruikui au combat, tandis qu'Aloé met Miradar au repos et reprend Ponchien. La deuxième manche peut commencer !

— Gruikui, utilise Flammèche, suivi de Charge !

— Abri, Ponchien ! Puis Ball'Ombre !

Cette fois, le Pokémon Cochon Feu ne peut esquiver l'attaque. Aloé frappe encore :

— Ponchien, Giga Impact, vite !

Le Pokémon Chien Fidèle fonce sur Gruikui qui roule à terre, à demi assommé.

— Du cran, on peut y arriver ! l'encourage Sacha.

Gruikui se relève à peine lorsqu'Aloé ordonne à Ponchien de relancer Ball'Ombre. Le Pokémon Cochon Feu réussit enfin à passer la barrière de projectiles et se précipite vers Ponchien, qui riposte avec Giga Impact, quand…

— Gruikui, utilise Nitro-Charge ! décide soudain Sacha.

Enveloppé d'un écran de flammes, le Pokémon bouscule son adversaire qui, étonné, tombe au centre de l'Arène. Les deux combattants ont bien du mal à se redresser… et tout à coup, Ponchien s'effondre, assommé ! Gill lève le bras pour signifier la fin du duel :

—Ponchien n'est plus capable de se battre. Gruikui a gagné, la victoire finale revient donc à Sacha, notre visiteur !

Le jeune Dresseur n'en revient pas !

—On a gagné ? Pour de vrai ? Hourra !

— Bravo, Sacha ! Tu as démontré que plus tu t'entraînes, plus la victoire est belle ! le félicite Rachid.

— Tu es très doué, Sacha, admet Aloé. Tu nous as bluffés en optant pour une technique de combat inédite. J'admire ton style !

— Oh, merci !

Elle tend un petit coffret au garçon en ajoutant :

— Tiens, voici ton Badge Basique. Tu le mérites amplement ! Je te souhaite bonne chance pour tes prochains

combats d'Arène. Et continue à croire en tes Pokémon !

— Promis, Aloé !

Là-dessus, Sacha s'empare du Badge en triomphant :

—Youpi ! J'ai mon deuxième Badge d'Unys !

Plus tard, dans les rues de Maillard, le trio s'apprête à reprendre son voyage.

— La ville la plus proche est Volucité, dit Rachid en consultant son plan électronique.

— L'Arène de Volucité, ça te tente, Sacha ?

— Tu parles, Iris ! répond le garçon, l'œil brillant.

De plus en plus confiant en ses capacités de Dresseur Pokémon, il ajoute :

— Mon troisième Badge m'attend là-bas ! Bon, on y va ?

Aussitôt, les trois amis se mettent en route. Plus rien ne semble pouvoir les arrêter… à moins que la Team Rocket ne les retrouve à Volucité ?

Fin

Le Ponchiot d'Aloé

Type :

Normal

Attaque préférée :

Hurlement

Il faut se méfier de cet adorable Pokémon Chiot… En effet, sous son air si mignon se cache un redoutable combattant ! Très courageux, Ponchiot n'a pas peur d'affronter de puissants adversaires. Les poils de son museau, qui lui permettent de détecter le moindre mouvement, lui donnent une longueur d'avance sur les Pokémon qu'il affronte !

Le voyage de Sacha
est loin d'être terminé !
Il lui reste encore du chemin
à parcourir pour décrocher
les huit Badges qui lui permettront
de participer à la Ligue d'Unys...
Découvre la suite des aventures
du Dresseur très bientôt,
dans la Bibliothèque Verte !

Pour en savoir plus, fonce sur le site
www.bibliotheque-verte.com

As-tu déjà lu les premières histoires de Sacha et Pikachu ?

Un mystérieux Pokémon

Le problème de Pikachu

Le combat de Sacha

La capture de Vipélierre

Le secret des Darumarond

Tu as toujours rêvé de devenir
un Dresseur Pokémon ?
Tu as de la chance :
grâce à cette nouvelle histoire,
tu vas pouvoir faire tes preuves.
Tu es prêt ? Cette fois-ci
c'est à *ton tour* de tous les attraper !

TABLE

PAPIER À BASE DE
FIBRES CERTIFIÉES

⊞ hachette s'engage pour
l'environnement en réduisant
l'empreinte carbone de ses livres.
Celle de cet exemplaire est de :
250 g éq. CO₂
Rendez-vous sur
www.hachette-durable.fr

Photogravure Nord Compo - Villeneuve d'Ascq
Imprimé en Espagne par CAYFOSA
Dépôt légal : juillet 2013
Achevé d'imprimer : juillet 2013
20.3681.2/01 – ISBN 978-2-01-203681-9
Loi n° 49956 du 16 juillet 1949
sur les publications destinées à la jeunesse